加强政党合作 共谋人民幸福

——在中国共产党与世界政党领导人峰会上的主旨讲话

（2021年7月6日）

习 近 平

人民出版社

加强政党合作　共谋人民幸福

——在中国共产党与世界政党领导人峰会上的主旨讲话

（2021 年 7 月 6 日，北京）

中共中央总书记、中华人民共和国主席

习　近　平

尊敬的各位政党领导人，

女士们，先生们，朋友们：

很高兴在中国共产党成立 100 周年之际，同来自 160 多个国家的 500 多个政党和政治组织等领导人、逾万名政党和各界代表共聚“云端”，探讨“为人民谋幸福与政党的责任”这个重大命题。这段时间，170 多个国家的 600 多个政党和政治组织等就中国共产党成立100周年发来1500多封贺电贺信，表达对中国共产党的友好情谊和美好祝愿。我谨代表中国共产党，向大家表示衷心的感谢！

几天前，我们举行大会，庆祝中国共产党成立100周年。100年来，中国共产党团结带领中国人民接续奋斗，推动中华民族迎来了从站起来、富起来到强起来的伟大飞跃。100年来，中国共产党坚持中国人民和世界各国人民命运与共，在世界大局和时代潮流中把握中国发展的前进方向、促进各国共同发展繁荣。

中国共产党和中国人民取得的历史性成就，离不开世界各国人民的大力支持。在这里，我代表中国共产党和中国人民，向关心、支持、帮助中国共产党和中国革命、建设、改革事业的各国政党、人民和朋友，表示诚挚的谢意！

女士们、先生们、朋友们！

当今世界正经历百年未有之大变局，世界多极化、经济全球化处于深刻变化之中，各国相互联系、相互依存、相互影响更加密切。为了应对新冠肺炎疫情挑战、促进经济复苏、维护世界稳定，国际社会作出了艰苦努力，各国政党作出了积极探索，展现了责任担当。同时，一些地方战乱和冲突仍在持续，饥荒和疾病仍在流行，隔阂和对立仍在加深，各国人民追求幸福生活的呼声更加强烈。

今天，人类社会再次面临何去何从的历史当口，是敌视对立还是相互尊重？是封闭脱钩还是开放合作？是零和博弈还是互利共赢？选择就在我们手中，责任就在我们肩上。

人类是一个整体，地球是一个家园。面对共同挑战，任何人任何国家都无法独善其身，人类只有和衷共济、和合共生这一条出路。政党作为推动人类进步的重要力量，要锚定正确的前进方向，担起为人民谋幸福、为人类谋进步的历史责任。我认为，政党应该努力做到以下几点。

第一，我们要担负起引领方向的责任，把握和塑造人类共同未来。人民渴望富足安康，渴望公平正义。大时代需要大格局，大格局呼唤大胸怀。

从“本国优先”的角度看，世界是狭小拥挤的，时时都是“激烈竞争”。从命运与共的角度看，世界是宽广博大的，处处都有合作机遇。我们要倾听人民心声，顺应时代潮流，推动各国加强协调和合作，把本国人民利益同世界各国人民利益统一起来，朝着构建人类命运共同体的方向前行。

第二，我们要担负起凝聚共识的责任，坚守和弘扬全人类共同价值。各国历史、文化、制度、发展水平不尽相同，但各国人民都追求和平、发展、公平、正义、民主、自由的全人类共同价值。我们要本着对人类前途命运高度负责的态度，做全人类共同价值的倡导者，以宽广胸怀理解不同文明对价值内涵的认识，尊重不同国家人民对价值实现路径的探索，把全人类共同价值具体地、现实地体现到实现本国人民利益的实践中去。

第三，我们要担负起促进发展的责任，让发展成果更多更公平地惠及各国人民。发展是实现人民幸福的关键。在人类追求幸福的道路上，一个国家、一个民族都不能少。世界上所有国家、所有民族都应该享有平等的发展机会和权利。我们要直面贫富差距、发展鸿沟等重大现实问题，关注欠发达国家和地区，关爱贫困民众，让每一片土地都孕育希望。中国古人说："适己而忘人者，人之所弃；克己而立人者，众之所戴。"发展是世界各国的权利，而不是少数国家的专利。我们要推动各国加强发展合作、各国人民共享发展成果，提升全球发展的公平性、有效性、协同性，共同反对任何人搞技术封锁、科技鸿沟、发展脱钩。我相信，任何以阻挠他国发展、损害他国人民生活为要挟的政治操弄都是不得人心的，也终将是徒劳的！

第四，我们要担负起加强合作的责任，携手应对全球性风险和挑战。面对仍在肆虐的新冠肺炎疫情，我们要坚持科学施策，倡导团结合作，弥合"免疫鸿沟"，反对将疫情政治化、病毒标签化，共同推动构建人类卫生健康共同体。面对恐怖主义等人类公敌，我们要以合作谋安全、谋稳定，共同扎好安全的"篱笆"。面对脆弱的生态环境，我们要坚持尊重自然、顺应自然、保护自然，共建绿色家园。面对气候变化给人类生存和发展带来的严峻挑战，我们要勇于担当、同心协力，共谋人与自然和谐共生之道。

第五，我们要担负起完善治理的责任，不断增强为人民谋幸福的能力。通向幸福的道路不尽相同，各国人民有权选择自己的发展道路和制度模式，这本身就是人民幸福的应有之义。民主同样是各国人民的权利，而不是少数国家的专利。实现民主有多种方式，不可能千篇一律。一个国家民主不民主，要由这个国家的人民来评判，而不能由少数人说了算！我们要加强交流互鉴，完善沟通机制、把握社情民意、健全组织体系、提高治理能力，推进适合本国国情的民主政治建设，不断提高为人民谋幸福的能力和成效。

女士们、先生们、朋友们！

为人民谋幸福，是中国共产党始终坚守的初心。今天，中国已经实现了全面建成小康社会的奋斗目标，开启了全面建设社会主义现代化国家新征程，中国人民的获得感、幸福感、安全感不断提升。办好中国的事，让14亿多中国人民过上更加美好的生活，促进人类和平与发展的崇高事业，这是中国共产党矢志不渝的奋斗目标。中国共产党将坚持以人民为中心的发展思想，在宏阔的时空维度中思考民族复兴和人类进步的深刻命题，团结带领中国人民上下求索、锐意进取，创造更加美好的未来。

历史告诉我们，拥抱世界，才能拥抱明天；携手共进，才能行稳致远。中国共产党愿同各国政党一起努力，让梦想照进现实，让行动成就未来，始终不渝做世界和平的建设者、全球发展的贡献者、国际秩序的维护者。

——中国共产党将团结带领中国人民深入推进中国式现代化，为人类对现代化道路的探索作出新贡献。中国共产党坚持一切从实际出发，带领中国人民探索出中国特色社会主义道路。历史和实践已经并将进一步证明，这条道路，不仅走得对、走得通，而且也一定能够走得稳、走得好。我们将坚定不移沿着这条光明大道走下去，既发展自身又造福世界。现代化道路并没有固定模式，适合自己的才是最好的，不能削足适履。每个国家自主探索符合本国国情的现代化道路的努力都应该受到尊重。中国共产党愿同各国政党交流互鉴现代化建设经验，共同丰富走向现代化的路径，更好为本国人民和世界各国人民谋幸福。

——中国共产党将团结带领中国人民全面深化改革和扩大开放，为世界各国共同发展繁荣作出新贡献。当前，经济全球化虽然面临不少阻力，但存在更多动力，总体看，动力胜过阻力，各国走向开放、走向合作的大势没有改变、也不会改变。中国共产党愿同各国政党加强沟通，共同引导经济全球化朝着更加开放、包容、普惠、平衡、共赢的方向发展。我们愿同国际社会加强高质量共建“一带一路”合作，共同为促进全球互联互通做增量，让更多国家、更多民众共享发展成果。

——中国共产党将履行大国大党责任，为增进人类福祉作出新贡献。消除贫困是各国人民的共同愿望，是各国政党努力实现的重要目标。中共十八大以来，中国现行标准下9899万农村贫困人口全部脱贫，提前10年实现《联合国2030年可持续发展议程》减贫目标。中国共产党愿为人类减贫进程贡献更多中国方案和中国力量。中国将全力支持国际抗疫合作，增强发展中国家疫苗可及性和可负担性。中国将为履行碳达峰、碳中和目标承诺付出极其艰巨的努力，为全球应对气候变化作出更大贡献。中国将承办《生物多样性公约》第十五次缔约方大会，同各方共商全球生物多样性治理新战略，共同开启全球生物多样性治理新进程。

——中国共产党将积极推动完善全球治理，为人类社会携手应对共同挑战作出新贡献。现行国际体系和国际秩序的核心理念是多边主义。多边主义践行得好一点，人类面临的共同问题就会解决得好一点。国际规则应该是世界各国共同认可的规则，而不应由少数人来制定。国家间的合作应该以服务全人类为宗旨，而不应以小集团政治谋求世界霸权。我们要共同反对以多边主义之名行单边主义之实的各种行为，共同反对霸权主义和强权政治。中国将坚决维护联合国宪章宗旨和原则，倡导国际上的事大家商量着办，推动国际秩序和国际体系朝着更加公正合理的方向发展。我愿再次重申，中国永远是发展中国家大家庭的一员，将坚定不移致力于提高发展中国家在国际治理体系中的代表性和发言权。中国永远不称霸、不搞扩张、不谋求势力范围。中国共产党将同各国政党一道，通过政党间协商合作促进国家间协调合作，在全球治理中更好发挥政党应有的作用。

女士们、先生们、朋友们！

道阻且长，行则将至；行而不辍，未来可期。前方的路会有曲折，但也充满希望。中国共产党愿继续同各国政党和政治组织一道，站在历史正确的一边，站在人类进步的一边，为推动构建人类命运共同体、建设更加美好的世界作出新的更大贡献！

谢谢大家。

图书在版编目(CIP)数据

加强政党合作　共谋人民幸福：在中国共产党与世界政党领导人峰会上的主旨讲话/习近平 著. —北京：人民出版社，2021.7
ISBN 978－7－01－023608－7

Ⅰ.①加…　Ⅱ.①习…　Ⅲ.①习近平-讲话-学习参考资料②中国共产党-国际合作-学习参考资料　Ⅳ.①D2-0②D27

中国版本图书馆 CIP 数据核字(2021)第 138121 号

(RMC－ZJDXI－113－20210706)

加强政党合作　共谋人民幸福

JIAQIANG ZHENGDANG HEZUO GONGMOU RENMIN XINGFU

——在中国共产党与世界政党领导人峰会上的主旨讲话

(2021 年 7 月 6 日)

习　近　平

人民出版社 出版发行
(100706　北京市东城区隆福寺街 99 号)

北京新华印刷有限公司印刷　新华书店经销

2021 年 7 月第 1 版　2021 年 7 月北京第 1 次印刷
开本：880 毫米×1230 毫米 1/32　印张：0.5
字数：7 千字

ISBN 978－7－01－023608－7　定价：2.00 元

邮购地址 100706　北京市东城区隆福寺街 99 号
人民东方图书销售中心　电话 (010)65250042　65289539